INFANTIL
ALFAGUARA

TRES JUNTO AL MAR

por Edward Marshall
ilustraciones de James Marshall

Título original: *Three by the Sea*
Traducción de Flora Casas

La maqueta de la colección y el diseño de la cubierta
estuvieron a cargo de Enric Satué®

Primera edición: octubre 1983
Primera reimpresión: septiembre 1986
Segunda reimpresión: noviembre 1987
Tercera reimpresión: septiembre 1989
Cuarta reimpresión: septiembre 1993

First published in the USA by The Dial Press 1981
Spanish translation rights arranged with Sheldon Fogelman

Elfo, 32. 28027 Madrid

Aguilar, Altea, Taurus, Alfaguara, S. A.
Beazley 3860. 1437 Buenos Aires

Aguilar, Altea, Taurus, Alfaguara, S. A. de C. V.
Avda. Universidad, 767, Col. Del Valle,
México, D.F. C.P. 03100

Depósito legal: M. 27.200-1993
I.S.B.N.: 84-204-3062-5

Impreso en España por:
UNIGRAF, S. A.
Polig. Industrial Arroyomolinos
Móstoles (Madrid)

Para Paula Danziger

L
SAM

Lolly, Spider y Sam
merendaban en la playa.
—Me siento como una boa
—dijo Lolly.
—Yo también —replicó Sam—.
Los perritos calientes y la limonada
siempre dan en el clavo.

—Y ahora, un bañito —dijo Spider.
—Ah, no —dijo Lolly—.
Hay que esperar a hacer la digestión.
—¡Vaya, hombre! —exclamó Spider.

—¿Dormimos la siesta? —preguntó Sam.
—Ni hablar —contestaron los otros—.
Dormir la siesta no es divertido.
—Es verdad —dijo Sam.

—¿Queréis oír un cuento? —preguntó Lolly—. Me he traído el libro de lectura.
—Buena idea —dijeron sus amigos.
—Pues empecemos —dijo Lolly.

EL CUENTO DE LOLLY

La rata vio al perro y al gato.
—Los veo —dijo la rata—.
Veo al perro y al gato.

El perro y el gato vieron a la rata.
—Vemos a la rata —dijeron.
Y colorín colorado...

—¿*Eso* es el cuento? —preguntó Sam.
—¿*Eso* es todo? —dijo Spider.
—Sí —contestó Lolly.

—No me ha gustado ni pizca
—dijo Sam.
—Qué rollo —dijo Spider.

—¡Yo os puedo contar un cuento mejor! —dijo Sam.
—¡Te apuesto a que no! —dijo Lolly.
—¡A que sí! —dijo Sam.
—Que lo intente —terció Spider.
—Vale —dijo Lolly—. Pero tiene que ser sobre una rata y un gato.
—Qué fácil —dijo Sam—. Sentaos.
Lolly y Spider se sentaron.
Y Sam empezó a contar su cuento.

SAM

—Una rata fue a dar un paseo
—dijo Sam.
—¿Y qué más? —preguntó Lolly.
—Deja a Sam que acabe el cuento
—dijo Spider.
—Gracias —dijo Sam.

EL CUENTO DE SAM

Una rata fue a dar un paseo.

—¡Qué buen día hace! —dijo—.
Brilla el sol
y todo va bien.

Al poco llegó a una tienda.

—Vaya, vaya —dijo la rata—.
Qué gato tan bonito.
Y yo nunca he tenido un gato.

—Voy a comprar ese gato
para tener un amigo —dijo.

Entró en la tienda.
—Quiero un gato —dijo.

—¿Está segura de que quiere un *gato*?
—preguntó el tendero.

—Estoy segura —dijo la rata—.
Y quiero ése.

—Le costará diez centavos
—dijo el hombre—. Si está *segura.*

—Estoy segura —dijo la rata—.
Aquí tiene mis últimos diez centavos.
Deme mi gato.

La rata y el gato salieron
de la tienda.

—Vamos a ser amigos —dijo la rata.
—¿Tú crees? —replicó el gato—.
Bueno, ya veremos.

La rata y el gato se sentaron
al sol.
—¿Qué haces para divertirte?
—preguntó la rata.
—Me gusta coger cosas
—respondió el gato.
—Eso está bien —dijo la rata.
—Tengo hambre —dijo el gato—.
¿Por qué no comemos?
—Qué buena idea —dijo la rata—.
¿Cuál es tu plato favorito?

—No quiero decírtelo
—contestó el gato.

—Puedes contármelo —dijo la rata—.
Somos amigos.

—¿Estás segura de que quieres saberlo? —preguntó el gato.

—Estoy segura —contestó la rata—. Cuéntame lo que te gusta comer.

—Te lo contaré —dijo el gato—. Pero vayamos a un sitio en que podamos estar solos.

—Me parece muy bien —dijo la rata.

El gato y la rata
fueron a la playa.

—Ya lo sé —dijo la rata—. Pescado.
Te gusta el pescado.

—No es eso —dijo el gato—.
Es algo mucho mejor que el pescado.

—Cuéntamelo —dijo la rata—.
Necesito saberlo.

—Acércate más —dijo el gato—
y te lo contaré.

—¿Sí? —dijo la rata.
—Lo que me gusta —dijo el gato— es...

¡...EL QUESO! ¡Me encanta el queso!
—A mí también —replicó la rata—.
Y tengo un poco aquí.
—¡Viva! —exclamó el gato—.
Y ahora somos amigos.

Se sentaron en la playa
y comieron el queso.

Y colorín colorado...

—Muy bonito —dijo Lolly.
Spider parecía enfadado.
—No me ha gustado el final —dijo—.
Es una estupidez.

—Entonces, cuenta un cuento *tú*
—dijo Sam.
—Es lo más fácil del mundo —replicó Spider—.
Y además os dará *miedo*.

EL CUENTO DE SPIDER

Un buen día un monstruo
salió del mar.

Tenía unos ojos amarillos y grandes.

Tenía unos dientes verdes y afilados.
Tenía unas garras largas y negras.

Y era malo a rabiar.

Era la hora de comer
y tenía hambre.
En la playa vio un trozo de queso.

—¡Bah! —dijo—. Detesto el queso.
Y pasó de largo.

Al poco encontró una rata.
La rata no lo oyó.
Estaba dormida.

—Es demasiado pequeña —dijo el monstruo.
Y pasó de largo.

Más adelante
se topó con un gato.

Pero los monstruos no comen gatos.
De modo que pasó de largo.

Lo que realmente les gusta a los monstruos son los niños. ¡Con pan!

—En esta playa tiene que haber niños sabrosos —dijo.

Al poco rato vio a unos niños.
—¡Umm! —exclamó—.
¡Dos chicos y una chica!
¡Tiernos y jugosos!
¡Me los comeré para almorzar!
Pero si me ven,
¡escaparán!
Así que el monstruo
no hizo el menor ruido.
Llegó de puntillas detrás de los niños.
Ellos no lo oyeron.
Estaban contando cuentos.
Se acercó más...

y más...

—¡Cuidado! —gritó Spider.

Lolly y Sam dieron un salto de tres metros.
—¡Socorro! —gritaron—.
¡Va a comernos!
Pero no había ningún monstruo.
Ni el menor rastro de monstruo.